motoko okuno

photographies : pierre-louis viel
stylisme : motoko okuno

Sushis

SOLAR
EDITIONS

Si vous souhaitez recevoir notre catalogue et être tenu au courant
de nos publications, envoyez-nous vos nom et adresse, en citant
ce livre et en précisant les domaines qui vous intéressent.

Éditions SOLAR
12, avenue d'Italie
75013 Paris

Internet : www.solar.fr

L'auteur tient à remercier :

Culture Japon, 101 bis, quai Branly, 75015 Paris

Kimonoya, 11, rue du Pont Louis-Philippe, 75004 Paris, pour le prêt de vaisselle

La poissonnerie La Sablaise, 28, rue Cler, 75007 Paris, pour ses poissons si frais

Lélia Sakai-Yajima, Stéphane Bezpalko et Laurent Keslassy pour leur aide précieuse à la rédaction des textes en français

Aline Princet et Ken Numatani pour l'élaboration de ce projet

Mes parents, Hiroko et Seiichiro, ainsi que ma grand-mère Shizuko pour leur amour et leur soutien

Direction littéraire : Corinne Cesano
Édition : Delphine Depras
Responsable artistique : Vu Thi
Graphisme : Julia Philipps
Collaboratrice éditoriale : Vanessa Redureau
Mise en pages : Chantal Guézet
Fabrication : Laurence Ledru
Photogravure : Point 4

ISBN : 978-2-263-05266-8

Code éditeur : S05266

Dépôt légal : octobre 2010

Imprimé en Chine par Léo Paper

Sommaire

Introduction

On raconte que les sushis tels que nous les connaissons aujourd'hui datent de l'époque Edo (1603-1868). Au départ, il s'agissait de conserver le poisson dans du riz en fermentation, mais seul le poisson était mangé. Puis l'on a ajouté du vinaigre, et les gens prirent goût à la saveur acidulée du riz.

De nos jours, le sushi est le plat le plus connu de la cuisine japonaise, et il est apprécié dans le monde entier. Mais, quand il s'agit de le préparer soi-même, la difficulté d'exécution peut sembler dissuasive.

Dans cet ouvrage, Motoko vous a concocté des recettes faciles et réalisables chez soi. Mais ce livre, c'est aussi son histoire, celle d'une jeune Japonaise arrivée seule en France et devenue styliste culinaire. Un jour où elle avait le mal du pays, elle a décidé de confectionner les makis que lui préparait sa maman, et les sushis au calamar qu'aimait déguster son papa en sirotant du saké. Car, au Japon, les sushis ont toujours accompagné les fêtes et les moments conviviaux. En découvrant les recettes originales de ce livre, laissez libre cours à vos envies. Les poissons peuvent être remplacés par des tranches de canard ou de foie gras, le vinaigre de riz par du vinaigre de vin... Les moules et les films alimentaires font des merveilles et remplacent aisément la technique ancestrale des maîtres de sushis. Ces sushis se dégustent en apéritif, en entrée, en plat, avec les doigts ou des baguettes... À vous d'imaginer ceux qui vous ressemblent !

Lélia Sakai-Yajima

Techniques de base

Maki

• Placez une feuille de nori au bord de la natte en bambou dans le sens de la longueur. Étalez le riz de manière uniforme sur le nori en laissant une marge de 2 cm à son extrémité. Pour que le riz ne colle pas aux doigts, mouillez-les avec de l'eau vinaigrée (1).

• Pincez le riz avec les doigts de manière à former un rebord à chaque extrémité. Ainsi les garnitures resteront bien au centre du maki.

• Déposez la garniture et le wasabi sur toute la longueur, à 3 cm du bord (2).

• Commencez à enrouler la natte par le bord le plus proche de vous. Soulevez simultanément la natte avec la feuille de nori puis enroulez délicatement la natte en la tenant de chaque côté entre le pouce et l'index (3).

• Tout en maintenant la garniture à l'aide des autres doigts, enroulez délicatement la feuille de nori autour du riz (4).

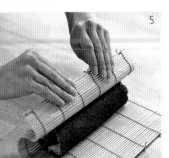

• Avec les doigts, exercez une légère pression sur le rouleau pour lui donner une jolie forme cylindrique (5). Retirez la natte de bambou, puis coupez le rouleau en 4 ou 6 morceaux (6). Entre chaque tranche, essuyez la lame du couteau avec un torchon humide.

Maki retourné

- Pliez en deux et découpez la feuille de nori parallèlement à ses rayures. Sur une demi-feuille de nori, étalez de manière uniforme 120 g de riz sur toute la surface. Pour que le riz ne colle pas aux doigts, mouillez-les avec de l'eau vinaigrée.

- Saupoudrez le riz de sésame grillé (1).

- Étalez du film alimentaire sur le riz, (2) puis retournez l'ensemble (3). Déposez côté nori la garniture et le wasabi sur toute la longueur, à 3 cm du bord (4).

- Commencez à enrouler la natte par le bord le plus proche de vous. Soulevez simultanément la natte avec la feuille de nori, puis enroulez délicatement la natte en la tenant de chaque côté entre le pouce et l'index (5).

- Maintenez la garniture à l'aide des autres doigts, puis enroulez délicatement l'ensemble en retenant le film alimentaire contre la natte (6).

- Avec les doigts, exercez une légère pression sur le rouleau pour lui donner une jolie forme cylindrique (7). Retirez la natte en bambou, puis le film alimentaire. Coupez le rouleau en 4 ou 6 morceaux (8). Entre chaque tranche, essuyez la lame du couteau avec un torchon humide.

Préparation du riz pour sushis

Pour 8 sushis (ou 4 personnes) 150 g de riz japonais + 30 cl de vinaigre de riz + 3 cuill. à café de sucre + 1/3 de cuill. à café de sel

• Mettez le riz dans un saladier et recouvrez d'eau. Lavez soigneusement le riz en le brassant. Changez l'eau. Répétez cette opération plusieurs fois jusqu'à ce que l'eau soit presque claire et laissez le riz égoutter 30 minutes.

• Pendant ce temps, mélangez le vinaigre, le sucre et le sel dans un petit bol jusqu'à ce que le sucre soit dissous.

• Mettez le riz dans une cocotte ou une casserole avec 15 cl d'eau froide. Portez à ébullition, couvrez hermétiquement, baissez le feu et laissez mijoter à feu doux 15 minutes environ. Ôtez la cocotte du feu. Laissez reposer 10 minutes avec le couvercle pour que le riz finisse de cuire dans sa vapeur.

• Versez le riz dans un saladier en bois. Remuez-le à l'aide d'une spatule en bois mouillée, pour évacuer le surplus d'humidité. Versez le vinaigre sur le riz et remuez. Refroidissez le riz à l'aide d'un éventail. Couvrez-le d'un torchon mouillé jusqu'à son utilisation. Ainsi le riz ne se desséchera pas, sans pour autant se ramollir.

Vinaigres pour le riz à sushis

Traditionnellement, le mélange utilisé pour le riz à sushis est composé de sel, de sucre et de vinaigre de riz. Mais vous pouvez librement utiliser d'autres sortes de vinaigres, tels que les vinaigres de vin rouge, de vin blanc ou de framboise. Chaque vinaigre a son acidité et son parfum, qui peuvent se marier avec les ingrédients que vous utilisez.

Pour 150 g de riz avant cuisson :

Vinaigre de vin blanc

30 cl de vinaigre de vin blanc
3 cuill. à café de sucre
1/2 cuill. à café de sel

Vinaigre de vin au jus d'agrume

20 cl de vinaigre de vin blanc
2 cuill. à café de jus de citron
3 cuill. à café de sucre
1/2 cuill. à café de sel
Le zeste de 1 citron

Vinaigre de vin au jus de framboise

30 cl de vinaigre de vin au jus de framboise
2 cuill. à café de sucre
1/2 cuill. à café de miel
1/2 cuill. à café de sel

Vinaigre de riz et vin rouge

30 cl de vin rouge porté à ébullition et réduit de moitié
15 cl de vinaigre de riz
1 cuill. à soupe de sucre

Sushis de calamar au gingembre frais

Pour 8 sushis

160 g de riz pour sushis

4 calamars crus

8 feuilles de shiso

1 noix de gingembre frais

4 cuill. à café de sauce de soja

Un sushi incontournable ! L'alliance du calamar avec le shiso et la sauce de soja est un délice.

• Épongez les calamars, coupez-les en deux.

• Lavez les feuilles de shiso, essuyez-les et coupez-les en deux dans le sens de la longueur. Pelez et râpez le gingembre.

• Mouillez vos doigts et les paumes de vos mains avec de l'eau vinaigrée. Prenez 20 g de riz dans votre main et formez une boulette ovale.

• Placez sur le riz une demi-feuille de shiso et une tranche de calamar. Comprimez le tout avec votre main et vos doigts pour donner une jolie forme au sushi. Mettez dessus une pointe de gingembre râpé.

• Procédez ainsi jusqu'à épuisement des ingrédients et servez les sushis avec la sauce de soja.

Il est primordial de choisir des calamars très frais. Ils doivent être vidés et débarrassés de la tête, du bec, des tentacules et de la peau. On peut éventuellement les faire griller plutôt que de les consommer crus.

Sashimis de saint-jacques

Pour 4 personnes

800 g de riz pour sushis

8 belles noix de saint-jacques

4 feuilles de shiso ou de basilic

4 cuill. à soupe de sauce de soja

Le jus et le zeste râpé
de 1/2 citron

30 g de graines germées
de poireau ou de radis

4 cuill. à soupe d'œufs
de saumon

Si vous préférez, vous pouvez faire revenir rapidement les noix de saint-jacques avec du beurre et de la sauce de soja.

• Placez les noix de saint-jacques 15 minutes au congélateur, pour faciliter la découpe.

• Pendant ce temps, lavez les feuilles de shiso et essuyez-les.

• Coupez les noix de saint-jacques en fines rondelles.

• Garnissez de riz le fond de quatre bols. Posez 1 feuille de shiso dans chacun, puis répartissez les rondelles de saint-jacques et badigeonnez-les de sauce de soja et de jus de citron.

• Parsemez de zeste de citron, de graines germées et d'œufs de saumon.

Chirashi à l'anguille

Pour 4 personnes

800 g de riz pour sushis

2 sachets de 180 g d'unagi no kabayaki (anguille cuite)

4 omelettes fines

1 mini-concombre

2 feuilles de shiso

2 cuill. à soupe de graines de sésame blanc

1/2 cuill. à soupe de sel fin

L'anguille grillée est un plat traditionnel au Japon. Les filets d'anguille sont grillés sur les braises, puis assaisonnés de sauce de soja sucrée. Vous pouvez vous les procurer déjà prêts à l'emploi (sous vide) dans les magasins d'alimentation japonaise.

• Lavez le concombre et émincez-le finement. Salez-le afin de le faire dégorger quelques minutes, puis rincez-le à l'eau et égouttez-le à la main.

• Coupez les feuilles de shiso et les omelettes en fines lanières.

• Réchauffez l'anguille en respectant le temps indiqué sur l'emballage. Découpez-la en morceaux de 2 cm.

• Dans un bol, mélangez anguille, concombre, shiso et graines de sésame blanc.

• Répartissez le riz dans quatre bols. Parsemez-le de morceaux d'anguille et d'omelette.

Sushis de barbue et gelée de ponzu

Pour 8 sushis

160 g de riz pour sushis

120 g de filets de barbue

2 feuilles de shiso

4 radis

1 cuill. à soupe
de ciboulette ciselée

1 feuille de gélatine

1 pincée de piment de Cayenne

Pour la sauce ponzu

2 cuill. à soupe de sauce de soja

2 cuill. à soupe de vinaigre de riz

2 cuill. à soupe de jus de citron

1 cuill. à soupe de dashi

Le ponzu est un vinaigre japonais à base d'agrume. Les pâtissiers novateurs commencent à l'utiliser en France. Il peut être remplacé par du jus de citron.

• Trempez la feuille de gélatine dans l'eau froide.

• Dans un petit bol, mélangez la sauce de soja, le vinaigre de riz, le jus de citron et le dashi.

• Faites fondre la gélatine avec 2 cuillerées à soupe d'eau au micro-ondes pendant 30 secondes (ou dans une petite casserole). Mélangez avec la sauce ponzu, puis laissez refroidir au frais pendant 1 heure.

• Découpez les filets de barbue en fines tranches. Râpez les radis. Découpez les feuilles de shiso en lanières d'environ 1 cm de large.

• Mouillez vos doigts et les paumes de vos mains avec de l'eau vinaigrée. Prenez 20 g de riz dans votre main et formez une boulette ovale.

• Enroulez un ruban de shiso autour du riz et recouvrez d'une tranche de barbue. Comprimez le tout avec votre main, et vos doigts pour donner une jolie forme au sushi.

• Déposez un peu de gelée de ponzu à l'aide d'une petite cuillère, puis le radis. Parsemez de piment en poudre et de ciboulette.

• Procédez ainsi jusqu'à épuisement des ingrédients et servez les sushis avec la sauce.

Hana-maki sushis

Pour 2 makis

485 g de riz pour sushis

125 g de riz pour sushis
au vinaigre de vin rouge

2 jaunes d'œufs durs

4 asperges ou
haricots verts cuits

5 feuilles de nori

Une recette économique pour de très jolis sushis. En japonais, hana veut dire «fleur».

• Préparation du maki fleur rose : coupez 3 feuilles de nori en quatre, ce qui fera au total 12 feuilles de 5 x 20 cm.

• Sur la natte en bambou, mettez une petite feuille de nori. Étalez 25 g de riz au vinaigre de vin rouge et roulez. Préparez en 5 exemplaires.

• Placez une grande feuille de nori sur la natte en bambou et étalez 180 g de riz pour la préparation du maki. À la manière de pétales de fleur, rassemblez les 5 mini-rouleaux autour de 2 asperges mises bout à bout. Posez le tout sur le maki, puis enroulez.

• Préparation du maki fleur jaune : passez au tamis les jaunes d'œufs, mélangez-les avec 125 g de riz pour sushis. Répétez la même opération que pour la réalisation du maki fleur rose.

• Coupez les makis et servez.

Duo de saumon

Pour 4 personnes

800 g de riz pour sushis

400 g de pavé de saumon très frais

1 pot d'œufs de saumon

4 cuill. à café de sauce de soja

1 cuill. à café de wasabi

Gari (gingembre vinaigré)

Les œufs et la chair de saumon s'accordent très bien ensemble. Vous pouvez également faire mariner le saumon dans un mélange d'huile d'olive, de jus de citron et de sauce de soja.

- Coupez les pavés de saumon en tranches fines.

- Garnissez de riz le fond de quatre bols.

- Disposez dessus les tranches de saumon. Parsemez d'une cuillerée à café d'œufs de saumon.

- Présentez dans une petite coupelle la sauce de soja et le wasabi, dans lesquels vous tremperez le saumon pour le déguster.

Sushis de bœuf mi-cuit au gingembre frais

Pour 8 sushis

160 g de riz pour sushis

250 g de pavé de rumsteck de 3,5 cm d'épaisseur

1 noix de gingembre frais

Quelques brins de ciboulette ciselés

2 feuilles de shiso ciselées

1/2 oignon rouge

4 cuill. à café de sauce de soja

1 cuill. à soupe d'huile de tournesol

Sel et poivre

Surprenants, ces sushis à la viande ! Il s'agit pourtant bien d'une recette japonaise traditionnelle.

• Sortez la viande du réfrigérateur afin qu'elle soit à température ambiante. Salez et poivrez.

• Faites chauffer l'huile dans une poêle. Faites colorer la viande de chaque côté à feu très vif, puis laissez cuire 2 minutes de chaque côté à feu moyen. Laissez reposer la viande au moins 10 minutes.

• Pelez et râpez le gingembre. Émincez l'oignon et mélangez-le à la ciboulette et le shiso. Coupez la viande en tranches fines.

• Mouillez vos doigts et les paumes de vos mains avec de l'eau vinaigrée. Prenez 20 g de riz dans votre main et formez une boulette ovale.

• Placez sur le riz une tranche de viande. Comprimez le tout avec votre main et vos doigts pour donner une jolie forme au sushi. Parsemez la viande du mélange ciboulette-shiso-oignon, puis de gingembre râpé.

• Procédez ainsi jusqu'à épuisement des ingrédients et servez les sushis avec la sauce de soja.

Après la cuisson de la viande, il est conseillé de la laisser refroidir au moins 10 minutes avant de la couper, afin d'en conserver le jus et la saveur.

Futomakis (gros makis)

Pour 2 futomakis

360 g de riz pour sushis

100 g d'épinards

8 shiitake séchés (champignons)

10 g de kanpyo (lanières
de courge séchée)

2 feuilles de nori

1 fine omelette

2 cuill. à soupe de sauce de soja

4 cuill. à soupe de saké

1 cuill. à soupe de sucre de canne

2 cuill. à café de dashi

Sel

C'est une recette que l'on prépare au Japon lors des grandes occasions. Elle est idéale pour un pique-nique.

● Faites tremper les champignons dans l'eau tiède pendant 3 heures. Couvrez d'une assiette pour les maintenir dans l'eau. Conservez l'eau de trempage et coupez les champignons en tranches.

● Rincez le kanpyo à l'eau froide, frottez-le entre vos doigts avec du sel fin, puis faites-le tremper dans l'eau froide pendant 10 minutes. Faites-le cuire ensuite dans cette eau pendant 10 minutes.

● Dans une casserole, versez le saké et l'eau des shiitake. Laissez réduire quelques minutes. Ajoutez la sauce de soja, le sucre de canne et le dashi, puis mélangez. Ajoutez les shiitake et le kanpyo, puis laissez réduire pendant 20 minutes à feu moyen.

● Pendant ce temps, blanchissez les épinards dans l'eau bouillante salée pendant 30 secondes, puis trempez-les dans l'eau froide. Essorez-les à la main.

● Coupez l'omelette en lamelles.

● Roulez le maki (voir p. 6) et procédez ainsi jusqu'à épuisement des ingrédients.

Sushis de gambas
et légumes frits au sel de matcha

Pour 8 sushis

160 g de riz pour sushis

8 gambas crues

4 asperges

1 racine de lotus

Fécule de pomme de terre
pour fariner les gambas

1/2 cuill. à café de matcha
(poudre de thé vert)

1 pincée de fleur de sel

Huile de friture

Vous pouvez également préparer ces sushis avec des langoustines. Cette recette simple fait ressortir toute la saveur des ingrédients.

• Décortiquez les gambas. Enlevez la tête et le fil noir de l'intestin.

• Sur une planche, farinez les gambas avec la fécule de pomme de terre. Couvrez–les d'un film alimentaire, puis aplatissez-les avec un rouleau.

• Coupez la racine de lotus en tranches. Farinez-les, ainsi que les asperges, avec la fécule de pomme de terre.

• Dans une casserole, faites chauffer l'huile et faites frire les gambas, les asperges et les tranches de lotus.

• Mélangez la fleur de sel et le matcha, puis saupoudrez-en les gambas et les légumes.

• Faites 8 boulettes de riz de 20 g chacune. Servez-les avec la garniture. Les convives les dégusteront ensemble, comme des nigiris.

Magret de canard au sel et aubergine au sésame blanc

Pour 4 personnes

800 g de riz pour sushis

1 magret de canard

1 aubergine

2 cuill. à soupe de graines de sésame blanc

20 cl de dashi à préparer suivant les instructions du paquet

1 cuill. à café de sucre

1 cuill. à café de fleur de sel

1 pincée de sancho (poivre du Sichuan)

C'est une recette de la région de Kyoto. En été elle se déguste très fraîche, accompagnée de saké frais ou de vin blanc.

• Piquez l'aubergine avec une fourchette pour faciliter sa cuisson. Faites-la griller au four pendant 40 minutes, jusqu'à ce que la peau soit noircie et fripée. Pelez-la et coupez-la en lanières.

• Dans un bol, mélangez le dashi et le sucre. Mettez les aubergines à mariner pendant 3 heures.

• Quadrillez légèrement la peau du magret avec la pointe d'un couteau. Parsemez-le de fleur de sel.

• Faites chauffer une poêle sans matière grasse. Disposez le magret côté peau dans la poêle, laissez-le cuire 10 minutes à feu moyen, puis jetez le gras de cuisson. Retournez le magret, laissez cuire 4 minutes, puis laissez-le reposer à température ambiante au moins 10 minutes.

• Faites dorer les graines de sésame blanc dans une poêle sans matière grasse, puis pilez-les grossièrement.

• Égouttez les aubergines et pressez-les légèrement à la main, puis mélangez-les délicatement dans un bol avec les graines de sésame, sans les écraser.

• Coupez le magret en tranches fines.

• Répartissez le riz dans quatre bols. Disposez dessus le magret et l'aubergine. Parsemez de sansho.

Mille-feuille au tartare de thon

Pour 4 personnes

400 g de riz pour sushis

250 g de pavé de thon

3 gombos

3 radis

2 cuill. à café
de ciboulette ciselée

2 cuill. à café d'œufs de saumon
ou d'œufs de lump

2 cuill. à café de graines
de sésame blanc

1 cuill. à café d'huile de sésame

3 cuill. à café de sauce de soja

Sel

Une présentation originale pour une préparation traditionnelle.

• Coupez le thon en deux : hachez-en la moitié au couteau pour le tartare et mettez l'autre moitié 1 heure au congélateur afin de faciliter sa découpe.

• Mélangez dans un bol le thon haché, 1 cuillerée à café de sauce de soja, l'huile de sésame et la ciboulette ciselée.

• Blanchissez les gombos à l'eau bouillante salée, 1 minute à peine, pour obtenir une belle couleur verte. Découpez-les en rondelles.

• Coupez les radis en rondelles bien fines, puis passez-les dans l'eau froide pour les rendre croquants.

• Sortez le thon du congélateur et découpez-le en tranches fines. Laissez mariner dans 2 cuillerées à café de sauce de soja.

• Garnissez 4 moules carrés de 8 cm de côté d'une première couche de riz. Pour que le riz ne colle pas aux doigts, mouillez-les avec de l'eau vinaigrée. Ajoutez sur le riz, une couche de tartare de thon, puis une autre de riz. Terminez avec les tranches de thon. Pressez chaque couche avec le dos d'une cuillère mouillée.

• Démoulez, puis décorez le dessus avec les radis, les gombos, les œufs de poisson et le sésame.

Nigiris aux légumes

Pour 4 personnes

240 g de riz pour sushis

4 asperges

2 cèpes

4 pousses de maïs (mini-épis)

2 cuill. à café de jus de citron

2 noix de beurre

1 1/2 cuill. à café de sauce de soja

1/4 feuille de nori

Quelques gouttes d'huile de truffe

Les pousses de maïs et l'huile de truffe se marient parfaitement. C'est aussi un régal pour les yeux.

• Faites cuire les asperges 4 minutes à l'eau bouillante salée. Égouttez-les sur un linge propre, puis coupez-les en tronçons de 5 cm de long.

• Nettoyez délicatement les cèpes et tranchez chacun en 4 lamelles. Faites chauffer une noix de beurre dans une petite poêle. Faites cuire les cèpes jusqu'à ce qu'ils soient bien dorés. Assaisonnez-les de 1 cuillerée de sauce de soja et de 1 cuillerée de jus de citron.

• Faites chauffer une noix de beurre dans une petite poêle. Ajoutez les pousses de maïs et faites-les cuire jusqu'à ce qu'elles soient bien dorées. Assaisonnez-les avec le reste de sauce de soja.

• Formez les nigiris à la main avec 20 g de riz. Pour que le riz ne colle pas aux doigts, mouillez-les avec de l'eau vinaigrée. Placez les légumes sur le riz.

• Attachez les asperges d'un ruban de nori. Arrosez les cèpes de 1 cuillerée de jus de citron. Versez un filet d'huile de truffe sur les pousses de maïs.

Makis arc-en-ciel

Comme leur nom l'indique, il s'agit d'appétissants makis très colorés.

Pour 2 makis

360 g de riz pour sushis

100 g de saumon

100 g de thon

6 crevettes roses cuites

1 fine omelette

4 feuilles de salade

1/2 carotte

1/2 concombre

2 feuilles de nori

2 cuill. à soupe de graines de sésame

- Décortiquez les crevettes. Enlevez la tête, la queue et le fil noir.

- Coupez le concombre et la carotte en fines lamelles.

- Coupez l'omelette, le saumon, et le thon en lamelles.

- Lavez les feuilles de salade, puis essuyez-les.

- Étalez la moitié du riz sur une feuille de nori. Parsemez de la moitié des graines de sésame. Couvrez de film alimentaire et retournez le tout. Placez la garniture et roulez le maki. Procédez de même pour le second puis coupez-les en tranches.

Sushis au foie de lotte

Pour 8 sushis

160 g de riz pour sushis

4 radis

1/4 mini-concombre

100 g de foie de lotte

1 feuille de nori

Pour la sauce

1 cuill. à soupe de sauce de soja

1 cuill. à soupe de vinaigre de riz

1 cuill. à soupe de jus de citron

1/2 cuill. à soupe de dashi

1 pincée de piment de Cayenne

Le foie de lotte est considéré comme un mets très raffiné au Japon : l'équivalent du foie gras pour les Français !

• Coupez le foie de lotte en tranches de 5 mm d'épaisseur.

• Coupez le concombre en fines rondelles. Râpez les radis. Coupez la feuille de nori en 8 bandelettes.

• Dans un petit bol, mélangez la sauce de soja, le vinaigre de riz, le jus de citron, le dashi et le piment de Cayenne, puis ajoutez les radis râpés.

• Faites 8 boulettes de riz de 20 g chacune. Pour que le riz ne colle pas aux doigts, mouillez-les avec de l'eau vinaigrée.

• Entourez les boulettes d'une bandelette de nori. Disposez dessus le foie de lotte, le concombre et le radis râpé.

Bar mariné au citron et à la fleur de sel

Pour 4 personnes

800 g de riz pour sushis

4 filets de bar

100 g de mesclun

Quelques graines germées de poireau et de radis

Le zeste râpé de 1/2 citron

1/2 cuill. à café de jus de citron

1/2 cuill. à café de sauce de soja

3 cuill. à soupe d'huile d'olive

Fleur de sel, poivre

Pour l'assaisonnement du riz, il est conseillé d'utiliser du vinaigre d'agrumes ou du vinaigre d'alcool blanc.

• Lavez le mesclun et les graines germées, égouttez-les bien.

• Mélangez le riz et le zeste de citron.

• Préparez la marinade : dans un bol, mélangez l'huile d'olive, le jus de citron et la sauce de soja.

• Coupez les filets de bar en tranches fines. Versez dessus la marinade et laissez-les reposer au moins 10 minutes.

• Ajoutez le mesclun et les graines germées, mélangez bien. Assaisonnez de fleur de sel et de poivre.

• Répartissez le riz dans quatre bols et posez dessus la garniture.

Sushis au magret de canard et aux mangues

Pour 4 personnes

400 g de riz pour sushis

1 magret de canard

1/2 mangue

2 cuill. à soupe de vinaigre balsamique

1/2 cuill. à café de sauce de soja

1 cuill. à café de miel

1 cuill. à café de poivre du Sichuan

1 cuill. à café de cardamome moulue

Il est conseillé de préparer le riz avec du vinaigre de vin rouge, qui se marie bien avec la saveur du canard.

• Frottez la chair du magret avec le poivre du Sichuan et la cardamome. Piquez la peau du magret avec une fourchette.

• Faites chauffer une poêle sans matière grasse. Posez le magret côté peau dans la poêle et laissez-le cuire 10 minutes à feu moyen. Jetez le gras de cuisson. Retournez le magret et laissez-le cuire 2 minutes.

• Retirez le canard, déglacez la poêle avec le vinaigre balsamique, le miel et la sauce de soja. Laissez réduire quelques minutes.

• Remettez le magret dans la poêle, arrosez-le de sauce et laissez-le cuire 2 minutes. Laissez-le reposer à température ambiante au moins 10 minutes, puis coupez-le en tranches fines.

• Pendant ce temps, épluchez et coupez la mangue en tranches fines de 3,5 cm de long.

• Garnissez le fond de 4 moules ronds de 10 cm de diamètre avec 100 g de riz chacun. Pressez le riz avec vos doigts, bien uniformément. Pour que le riz ne colle pas aux doigts, mouillez-les avec de l'eau vinaigrée.

• Démoulez et disposez sur le riz le magret et la mangue.

Sushis temakis

Pour 4 personnes

800 g de riz pour sushis

200 g de pavé de saumon

200 g de pavé de thon

4 crevettes roses cuites

4 bâtonnets de surimi

1 mini-concombre

1/2 citron

4 feuilles de nori

1 omelette

4 cuill. à soupe de sauce de soja

Gari (gingembre vinaigré)

Wasabi

Le temaki est un petit cornet de maki préparé par chacun à sa guise. C'est une façon conviviale et simple de déguster les sushis.

● Découpez toutes les garnitures en petits morceaux.

● Coupez les feuilles de nori en quatre.

● À chacun de réaliser ses cornets ! Sur la feuille de nori, étalez un peu de riz et les garnitures selon vos envies. Enroulez la feuille en forme de cornet en partant d'un angle. Faites attention de ne pas trop les remplir…

Dorade et poireau à l'huile de cacahuète

Pour 4 personnes

800 g de riz pour sushis

300 g de filets de dorade

1/4 poireau

1 cuill. à soupe de cacahuètes grillées

2 cuill. à soupe d'huile de cacahuète grillée

Sel, poivre

L'huile chaude permet d'adoucir l'odeur du poisson et rend le plat plus savoureux. Vous pouvez remplacer l'huile de cacahuète grillée par de l'huile de sésame grillé.

• Coupez la dorade en tranches fines.

• Lavez le poireau et coupez-le en lanières très fines. Hachez grossièrement les cacahuètes.

• Dans une petite casserole, faites chauffer l'huile de cacahuète grillée.

• Mettez les morceaux de dorade dans un bol, salez et poivrez, puis versez l'huile chaude. Mélangez le tout.

• Garnissez de riz le fond de quatre bols. Disposez la dorade, parsemez de cacahuètes, puis de poireau.

Sushis au maquereau et au gingembre doux

Pour 4 personnes

600 g de riz pour sushis

4 filets de maquereau très frais

1 noix de gingembre frais

Gari (gingembre confit)

2 cuill. à soupe de graines de sésame

50 cl de vinaigre de riz

80 g de sel fin

Le sushi au maquereau a été la toute première recette inventée au Japon pour conserver le poisson cru.

• Disposez les filets de poisson sur un plat, peau en dessous. Recouvrez-les entièrement de sel, afin de rendre la chair bien ferme. Laissez-les reposer dans le réfrigérateur pendant 2 heures.

• Mélangez les graines de sésame au riz.

• Pelez et émincez le gingembre frais, recouvrez de vinaigre et laissez reposer au moins 10 minutes.

• Sortez les filets du réfrigérateur. Rincez le sel à l'eau froide, puis essuyez à l'aide d'un papier absorbant.

• Remettez les filets, toujours côté peau en dessous, sur le plat. Arrosez-les du vinaigre de gingembre et laissez reposer dans le réfrigérateur pendant 1 heure.

• Essuyez-les avec du papier absorbant. Enlevez la peau et les arêtes à l'aide d'une pince à épiler.

• Garnissez un moule rectangulaire de film alimentaire. Disposez les filets côté peau au fond du moule. Ajoutez une couche de gari. Recouvrez le tout avec du riz, en le compressant légèrement avec vos doigts.

• Laissez au réfrigérateur 2 à 5 heures et placez à température ambiante 30 minutes. Démoulez et découpez les sushis en rectangles avant de servir.

Le maquereau peut être remplacé par des rollmops, harengs marinés au vinaigre, vendus en bocal.

Verrines de thon et avocat

Pour 4 personnes

400 g de riz pour sushis

250 g de thon rouge très frais

1 avocat

Le jus de 1/2 citron

5 brins de coriandre

1 cuill. de café de sauce de soja

2 cuill. à soupe de graines de sésame blanc

Si les ingrédients appartiennent à la tradition japonaise, la présentation en verrines est quant à elle totalement inédite au pays du Soleil levant !

• Coupez le thon en petits dés, puis nappez de sauce de soja.

• Effeuillez et hachez la coriandre.

• Coupez l'avocat en deux, ôtez le noyau et coupez la chair en petits dés. Arrosez-les de jus de citron, puis mélangez avec la coriandre hachée.

• Mélangez le riz et le sésame blanc.

• Garnissez le fond de quatre verres de 1,5 cm de riz. Ajoutez les avocats, puis le thon.

Vous pouvez également préparer cette recette dans un grand moule de 24 cm de diamètre et découper en portions avant de se servir.

Sushis de queues d'écrevisses au pamplemousse

Pour 8 sushis

160 g de riz pour sushis

100 g de queues d'écrevisses

1/2 pamplemousse

1/2 mini-concombre

1 cuill. à café d'huile d'olive

2 cuill. à café de vinaigre balsamique

Vous pouvez ajouter à la sauce une cuillerée à café de miel, si vous aimez les saveurs aigres-douces.

• Épluchez le pamplemousse, ôtez la peau des quartiers et découpez la chair à la main en petits morceaux.

• Dans un bol, mélangez l'huile d'olive et le vinaigre balsamique. Ajoutez les queues d'écrevisses et le pamplemousse, et mélangez bien.

• Coupez le concombre en tranches fines dans le sens de la longueur.

• Faites 8 boulettes de riz de 20 g chacune, puis aplatissez-les un peu : la longueur des boulettes ne doit pas dépasser la largeur des lamelles de concombre. Pour que le riz ne colle pas aux doigts, mouillez-les avec de l'eau vinaigrée.

• Enroulez le concombre autour du riz, puis décorez le dessus avec le mélange d'écrevisses et de pamplemousse.

Foie gras mi-cuit et figue, sauce teriyaki

Pour 8 sushis

160 g de riz pour sushis

4 tranches de foie gras mi-cuit

2 figues

4 feuilles de shiso

1 feuille de nori

Poivre du Sichuan

Pour la sauce teriyaki

2 cuill. à café de sauce de soja

2 cuill. à soupe de sucre de canne

2 cuill. à soupe de saké

Le canapé au foie gras version sushi. Il s'accommode parfaitement d'une coupe de champagne !

• Dans une casserole, versez le saké. Laissez réduire quelques minutes. Ajoutez la sauce de soja et le sucre de canne, puis mélangez-les et laissez cuire jusqu'à ce que la sauce épaississe.

• Découpez le foie gras en petits morceaux de 3 cm. Coupez les figues en quatre.

• Préparez le maki (voir p. 6), avec le shiso comme garniture. Découpez le maki en tranches de 1 cm.

• Disposez dessus le foie gras, nappez avec la sauce et parsemez de poivre du Sichuan. Décorez avec les figues.

Makis dragons

Pour 2 makis

360 g de riz pour sushis

6 gambas cuites

1 anguille cuite

1 mini-concombre

200 g de haricots verts

4 feuilles de shiso

1 avocat

Le jus de 1/2 citron

2 feuilles de nori

2 cuill. à soupe de graines de sésame

Pour la friture

100 g de farine

20 g de fécule de pomme de terre

3 g de levure chimique

Huile de friture

C'est une recette que j'ai découverte lors d'un voyage aux États-Unis. La forme de l'avocat rappelle celle d'un dos de dragon.

• Décortiquez les gambas. Enlevez la tête, la queue et le fil noir de l'intestin. Équeutez les haricots verts.

• Faites chauffer l'huile de friture dans une casserole.

• Dans un bol, mélangez la farine, la fécule et la levure avec 20 cl d'eau froide. Trempez les haricots et les gambas dans la pâte. Faites-les frire.

• Coupez le concombre en fines lamelles. Découpez l'avocat, ôtez le noyau, pelez-le et coupez-le en tranches fines. Arrosez-les du jus de citron. Réservez.

• Procédez en suivant la méthode du maki retourné (voir p. 7). Sur la feuille de nori, étalez le riz et les graines de sésame. Recouvrez d'un film alimentaire et retournez. Sur le nori, disposez la moitié de tous les ingrédients, excepté l'avocat, et enroulez.

• Retirez le film alimentaire, puis placez le maki sur la moitié des avocats. Retournez le tout et donnez sa forme finale au maki, puis découpez-le en quatre ou six morceaux.

• Faites de même pour le second maki avec le reste des ingrédients.

Makis retournés à la méditerranéenne

Pour 2 makis

360 g de riz pour sushis
1 courgette
1/2 aubergine
1 boîte de poivrons piquillo
5 tomates séchées
4 filets d'anchois à l'huile
200 g de mozzarella
2 feuilles de nori
Quelques feuilles de basilic
Quelques olives hachées
2 cuill. à soupe d'huile d'olive

Un maki aux légumes méditerranéens. Le poivron rouge est comme un soleil sur le maki.

• Coupez la courgette en deux dans le sens de la longueur. Recoupez-les en fines lamelles. Plongez-les dans l'eau bouillante, retirez-les aussitôt et passez-les sous l'eau froide.

• Coupez l'aubergine en fines lamelles. Faites sauter la moitié de la courgette et les tranches d'aubergine dans l'huile d'olive.

• Égouttez les anchois, la mozzarella et les poivrons, puis découpez-les en lamelles.

• Procédez en suivant la méthode du maki retourné (voir p. 7). Une fois que le riz est étalé sur la feuille de nori, placez les poivrons et les lamelles de courgette blanchie. Couvrez le tout de film alimentaire et retournez l'ensemble.

• Garnissez la feuille de nori avec le reste des ingrédients : courgette sautée, aubergine, mozzarella, feuilles de basilic, olives hachées, anchois, tomates séchées. Enroulez le tout. Enlevez ensuite le film alimentaire, puis découpez le maki en morceaux.

Duo de légumes farcis au crabe et aux crevettes

Pour 4 personnes

500 g de riz pour sushis

4 crevettes roses cuites

1 endive

1 avocat

4 tomates grappe

Le zeste râpé et le jus de 1 citron

50 g de miettes de crabe

4 cuill. à café d'œufs de lump

1 cuill. à café de vinaigre de riz

1 cuill. à café de sauce de soja

1 cuill. à soupe de crème de sésame blanc (disponible dans les magasins bio)

Des sushis idéals à proposer en apéritif.

• Lavez les feuilles d'endive, puis essuyez-les. Décortiquez les crevettes. Coupez-les en trois ou quatre morceaux. Coupez l'avocat en deux, ôtez le noyau et coupez la chair en petits dés. Arrosez-les de jus de citron.

• Dans un bol, mélangez la crème de sésame, le vinaigre de riz et la sauce de soja. Ajoutez l'avocat et les crevettes, puis mélangez bien.

• Garnissez chaque feuille d'endive d'une portion de riz, puis d'une portion d'avocat et de crevettes.

• Coupez les tomates en deux. Ôtez les pépins et creusez la chair à l'aide d'une petite cuillère.

• Dans un bol, mélangez le riz, le zeste de citron et les miettes de crabe.

• Garnissez les tomates de riz au crabe, puis ajoutez les œufs de lump.

Les miettes de crabe peuvent être remplacées par du surimi.

Fraises balsamiques à la menthe

Pour 4 sushis

400 g de riz pour sushis

250 g de fraises

1 feuille de nori

1 cuill. à soupe de vinaigre balsamique

1/2 cuill. à café d'huile d'olive

1/2 cuill. à café de miel

1/2 cuill. à café de jus de citron

Le zeste de 1/2 citron

1 cuill. à café de pistaches

Quelques feuilles de menthe ciselées

Et pourquoi pas un sushi en dessert, avec ce sushi tarte aux fraises ! Il est recommandé de préparer le riz avec du vinaigre de framboise.

• Rincez rapidement les fraises, équeutez-les, puis coupez-les en deux.

• Mélangez dans un bol l'huile, le vinaigre balsamique, le jus de citron, le miel, les morceaux de fraises et les feuilles de menthe.

• Hachez grossièrement les pistaches.

• Mélangez le riz et le zeste de citron. Garnissez le fond de 4 moules ronds de 10 cm de diamètre avec 1,5 cm d'épaisseur de riz. Pressez le riz avec vos doigts, bien uniformément.

• Démoulez, puis enroulez d'une feuille de nori coupée en quatre. Disposez les fraises sur le riz. Parsemez de pistaches.

Produits japonais

Dashi

Ce bouillon à base d'algues séchées (kombu) et de flocons de bonite est l'essence même de la cuisine japonaise. On trouve du dashi instantané, sous forme de granulés, dans les épiceries japonaises (1).

Gari

Le gari est du gingembre émincé puis mariné dans du vinaigre sucré. Il permet d'apporter de la fraîcheur en bouche. En Europe, le gingembre a servi de médicament lors de l'épidémie de peste au XIVe siècle. C'est un excellent fortifiant pour la santé (2).

Nori

C'est une algue comestible, très riche en protéines, qui est broyée en pâte, puis aplatie en fines plaques (3).

Shiitaké

C'est un champignon parfumé qu'on trouve souvent sous forme séchée. On l'utilise en le faisant tremper auparavant dans de l'eau (4).

Shiso

C'est la feuille d'une plante aromatique au parfum caractéristique. Le shiso est également appelé pérille. Il accompagne sashimis, sushis, tempura et des préparations de tofu (5).

Shoyu

C'est une sauce faite de graines de soja et de blé fermentées, sans additifs chimiques. Elle est indispensable à la cuisine japonaise. Elle contient des protéines végétales et des acides aminés. La marque Kikkoman® en est la plus connue (6).

Vinaigre de riz

Très doux, le vinaigre de riz japonais peut varier d'incolore à jaune pâle (7).

Wasabi

C'est un légume piquant, équivalent du raifort. Au Japon, on trouve le wasabi dans les régions froides des montagnes, où il est connu pour ses vertus antiseptiques. Les sushis en sont toujours accompagnés. Attention, n'en abusez pas, c'est très fort (8).

Vous trouverez tous ces ingrédients dans les magasins d'alimentation japonaise et les grandes surfaces de produits asiatiques.

Boutique Kanae, 83, av. Émile Zola, 75015 Paris
www.kanae-paris.com
Kanae livre également en province.

Index des recettes